LA FONT

FABLES CHOISIES POUR LES ENFANTS

et illustrées par

M. B. DE MONVEL

lutin poche de l'école des loisirs

11, rue de Sèvres, Paris 6ᵉ

TABLE DES MATIÈRES

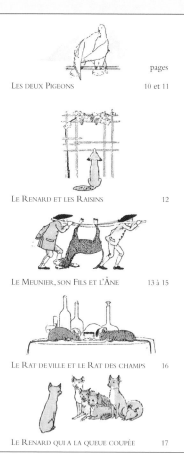

TABLE DES MATIÈRES

ISBN 978-2-211-08689-9
Première édition dans la collection *lutin poche* : mai 2007
© 1980, l'école des loisirs, Paris
Loi numéro 49 956 du 16 juillet 1949 sur les publications
destinées à la jeunesse : juin 1980
Dépôt légal : janvier 2014
Imprimé en France par Aubin Imprimeur à Ligugé

LA CIGALE ET LA FOURMI

La cigale ayant chanté
    Tout l'été,
Se trouva fort dépourvue
Quand la bise fut venue.
Pas un seul petit morceau
De mouche ou de vermisseau.

Elle alla crier famine
Chez la fourmi sa voisine,

La priant de lui prêter
Quelque grain pour subsister
Jusqu'à la saison nouvelle.

« Je vous paierai, lui dit-elle,
Avant l'oût, foi d'animal,
Intérêt et principal. »

BM.

    La fourmi n'est pas prêteuse ;
    C'est là son moindre défaut.

« Que faisiez-vous au temps chaud ?
Dit-elle à cette emprunteuse.
– Nuit et jour à tout venant
Je chantais, ne vous déplaise.

    – Vous chantiez ? j'en suis fort aise.
    Eh bien ! dansez maintenant. »

LE CORBEAU ET LE RENARD.

Maître corbeau, sur un arbre perché,
  Tenait en son bec un fromage.

Maître renard, par l'odeur alléché,

Lui tint à peu près ce langage :
« Hé ! bonjour, Monsieur du Corbeau !
Que vous êtes joli ! que vous me semblez beau !

Sans mentir, si votre ramage
Se rapporte à votre plumage,

Vous êtes le phénix des hôtes de ces bois. »

À ces mots, le corbeau ne se sent pas de joie ;
    Et pour montrer sa belle voix,
Il ouvre un large bec, laisse tomber sa proie.
Le renard s'en saisit, et dit : « Mon bon monsieur,

    Apprenez que tout flatteur
    Vit aux dépens de celui qui l'écoute.
Cette leçon vaut bien un fromage sans doute. »
    Le corbeau honteux et confus,
Jura, mais un peu tard, qu'on ne l'y prendrait plus.

BM

LE LIEVRE ET LA TORTUE

Rien ne sert de courir ; il faut partir à point.
Le lièvre et la tortue en sont un témoignage.
« Gageons, dit celle-ci, que vous n'atteindrez point
Sitôt que moi ce but. – Sitôt ? Êtes-vous sage ? »

Repartit l'animal léger.
Ma commère, il vous faut purger
Avec quatre grains d'ellébore.
– Sage ou non, je parie encore. »

Ainsi fut fait : et de tous deux
On mit près du but les enjeux.
Savoir quoi, ce n'est pas l'affaire,
Ni de quel juge l'on convint.
Notre lièvre n'avait que quatre pas à faire ;
J'entends de ceux qu'il fait lorsque près d'être atteint
Il s'éloigne des chiens, les renvoie aux calendes
Et leur fait arpenter les landes.

BM.

Ayant, dis-je, du temps de reste pour brouter,
Pour dormir, et pour écouter
D'où vient le vent, il laisse la tortue
Aller son train de sénateur.
Elle part, elle s'évertue ;
Elle se hâte avec lenteur.

Lui cependant méprise une telle victoire,
Tient la gageure à peu de gloire,
Croit qu'il y va de son honneur
De partir tard. Il broute, il se repose,
Il s'amuse à tout autre chose
Qu'à la gageure. À la fin quand il vit

Que l'autre touchait presque au bout de la carrière,
Il partit comme un trait ; mais les élans qu'il fit
Furent vains : la tortue arriva la première.
« Eh bien ! lui cria-t-elle, avais-je pas raison ?
De quoi vous sert votre vitesse ?
Moi, l'emporter ! Et que serait-ce
Si vous portiez une maison ? »

LA GRENOUILLE qui veut se faire aussi grosse que le bœuf

Une grenouille vit un bœuf
Qui lui sembla de belle taille.

Elle qui n'était pas grosse en tout comme un œuf,
Envieuse s'étend, et s'enfle, et se travaille
　Pour égaler l'animal en grosseur,

Disant : « Regardez bien, ma sœur ;
Est-ce assez ? dites-moi. N'y suis-je point encore ?

– Nenni. – M'y voici donc ? – Point du tout. – M'y voilà ?
– Vous n'en approchez point. » La chétive pécore

S'enfla si bien qu'elle creva.

LES DEUX PIGEONS

Deux pigeons s'aimaient d'amour tendre.

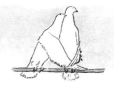

L'un d'eux s'ennuyant au logis
Fut assez fou pour entreprendre
Un voyage en lointain pays.

L'autre lui dit : « Qu'allez-vous faire ?
Voulez vous quitter votre frère ?
L'absence est le plus grand des maux :
Non pas pour vous, cruel. Au moins, que les travaux,
Les dangers, les soins du voyage,
Changent un peu votre courage.
Encor, si la saison s'avançait davantage !
Attendez les zéphyrs. Qui vous presse ? Un corbeau
Tout à l'heure annonçait malheur à quelque oiseau.

Je ne songerai plus que rencontre funeste,
Que faucons, que réseaux. « Hélas ! dirai-je, il pleut :
Mon frère a-t-il tout ce qu'il veut,
Bon soupé, bon gîte, et le reste ? »
Ce discours ébranla le cœur
De notre imprudent voyageur ;

Mais le désir de voir et l'humeur inquiète
L'emportèrent enfin. Il dit : « Ne pleurez point ;

Trois jours au plus rendront mon âme satisfaite ;
Je reviendrai dans peu conter de point en point
    Mes aventures à mon frère.

Je le désennuierai : quiconque ne voit guère
N'a guère à dire aussi. Mon voyage dépeint
    Vous sera d'un plaisir extrême.
Je dirai : ''J'étais là ; telle chose m'avint'' ;
    Vous y croirez être vous-même. »

À ces mots en pleurant, ils se dirent adieu.

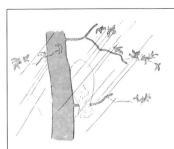

Le voyageur s'éloigne ; et voilà qu'un nuage
L'oblige de chercher retraite en quelque lieu.
Un seul arbre s'offrit, tel encor que l'orage
Maltraita le pigeon en dépit du feuillage.

L'air devenu serein, il part tout morfondu,
Sèche du mieux qu'il peut son corps chargé de pluie,
Dans un champ à l'écart voit du blé répandu,
Voit un pigeon auprès : cela lui donne envie ;
Il y vole, il est pris : ce blé couvrait d'un lacs
    Les menteurs et traîtres appas.
Le lacs était usé ; si bien que de son aile,
De ses pieds, de son bec, l'oiseau le rompt enfin.
Quelque plume y périt ; et le pis du destin

Fut qu'un certain vautour à la serre cruelle
Vit notre malheureux qui, traînant la ficelle
Et les morceaux du lacs qui l'avait attrapé,
    Semblait un forçat échappé.
Le vautour s'en allait le lier, quand des nues
Fond à son tour un aigle aux ailes étendues.
Le pigeon profita du conflit des voleurs,

S'envola, s'abattit auprès d'une masure,
    Crut pour ce coup que ses malheurs
    Finiraient par cette aventure ;
Mais un fripon d'enfant (cet âge est sans pitié)
Prit sa fronde, et d'un coup tua plus d'à moitié
    La volatile malheureuse,

Qui, maudissant sa curiosité,
    Traînant l'aile, et tirant le pié,
    Demi-morte, et demi-boiteuse,
    Droit au logis s'en retourna.
    Que bien, que mal, elle arriva,
    Sans autre aventure fâcheuse.

Voilà nos gens rejoints ; et je laisse à juger
De combien de plaisirs ils payèrent leurs peines.

LE RENARD ET LES RAISINS

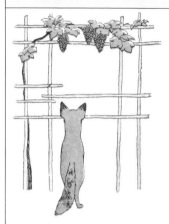

Certain renard gascon, d'autres disent normand,
Mourant presque de faim, vit au haut d'une treille
   Des raisins mûrs apparemment,
   Et couverts d'une peau vermeille.

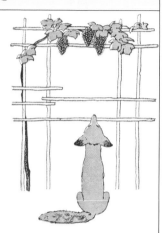

   Le galant en eût fait volontiers un repas ;

Mais, comme il n'y pouvait atteindre :

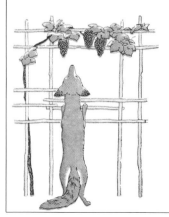

« Ils sont trop verts, dit-il, et bons pour des goujats. »
   Fit-il pas mieux que de se plaindre ?

BM-

LE MEUNIER SON FILS ET L'ANE

'ai lu dans quelque endroit qu'un meunier et son fils,
'un vieillard, l'autre enfant, non pas des plus petits,

Mais garçon de quinze ans, si j'ai bonne mémoire,
Allaient vendre leur âne un certain jour de foire.
Afin qu'il fût plus frais et de meilleur débit,
On lui lia les pieds, on vous le suspendit ;
Puis cet homme et son fils le portent comme un lustre :

Pauvre gens, idiots, couple ignorant et rustre.
Le premier qui les vit de rire s'éclata.
« Quelle farce, dit-il, vont jouer ces gens-là ?
Le plus âne des trois n'est pas celui qu'on pense. »

Le meunier à ces mots connaît son ignorance.
Il met sur pieds sa bête, et la fait détaler.
L'âne, qui goûtait fort l'autre façon d'aller,
Se plaint en son patois. Le meunier n'en a cure.

Il fait monter son fils, il suit, et d'aventure

Passent trois bons marchands. Cet objet leur déplut.
Le plus vieux au garçon s'écria tant qu'il put :
« Oh là ! oh ! descendez, que l'on ne vous le dise,
Jeune homme, qui menez laquais à barbe grise.
C'était à vous de suivre, au vieillard de monter.

– Messieurs, dit le meunier, il vous faut contenter. »
L'enfant met pied à terre, et puis le vieillard monte,

Quand, trois filles passant, l'une dit : « C'est grand'honte
Qu'il faille voir ainsi clocher ce jeune fils,
Tandis que ce nigaud, comme un évêque assis,
Fait le veau sur son âne, et pense être bien sage.

– Il n'est, dit le meunier, plus de veaux à mon âge.
Passez votre chemin, la fille, et m'en croyez. »

Après maints quolibets coup sur coup renvoyés,
L'homme crut avoir tort, et mit son fils en croupe.

Au bout de trente pas, une troisième troupe
Trouve encore à gloser. L'un dit : «Ces gens sont fous,
Le baudet n'en peut plus, il mourra sous leurs coups.
Hé quoi ! charger ainsi cette pauvre bourrique !
N'ont-ils point de pitié de leur vieux domestique ?
Sans doute qu'à la foire ils vont vendre sa peau.

– Parbleu ! dit le meunier, est bien fou du cerveau
Qui prétend contenter tout le monde et son père.
Essayons toutefois si par quelque manière
Nous en viendrons à bout.» Ils descendent tous deux.
L'âne, se prélassant marche seul devant eux.

Un quidam les rencontre, et dit : «Est-ce la mode
Que baudet aille à l'aise, et meunier s'incommode ?
Qui de l'âne ou du maître est fait pour se lasser ?
Je conseille à ces gens de le faire enchâsser.
Ils usent leurs souliers, et conservent leur âne :
Nicolas au rebours, car, quand il va voir Jeanne,
Il monte sur sa bête ; et la chanson le dit.
Beau trio de baudets !» Le meunier repartit :

«Je suis âne, il est vrai, j'en conviens, je l'avoue ;
Mais que dorénavant on me blâme, on me loue ;
Qu'on dise quelque chose, ou qu'on ne dise rien,
J'en veux faire à ma tête.» Il le fit, et fit bien.

LE RAT DE VILLE ET LE RAT DES CHAMPS

Autrefois le rat de ville
Invita le rat des champs,
D'une façon fort civile,
À des reliefs d'ortolans.

Sur un tapis de Turquie
Le couvert se trouva mis.
Je laisse à penser la vie
Que firent ces deux amis.

Le régal fut fort honnête,
Rien ne manquait au festin ;
Mais quelqu'un troubla la fête
Pendant qu'ils étaient en train.

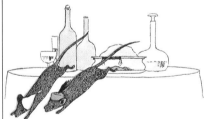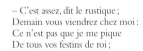

À la porte de la salle
Ils entendirent du bruit.
Le rat de ville détale,
Son camarade le suit.

Le bruit cesse, on se retire :
Rats en campagne aussitôt ;
Et le citadin de dire :
« Achevons tout notre rôt.

– C'est assez, dit le rustique ;
Demain vous viendrez chez moi :
Ce n'est pas que je me pique
De tous vos festins de roi ;

Mais rien ne vient m'interrompre :
Je mange tout à loisir.
Adieu donc, fi du plaisir
Que la crainte peut corrompre ! »

LE RENARD qui a la queue coupée

Un vieux renard, mais des plus fins,
Grand croqueur de poulets, grand preneur de lapins,
Sentant son renard d'une lieue,
Fut enfin au piège attrapé.
Par grand hasard en étant échappé,

Non pas franc, car pour gage il y laissa sa queue ;
S'étant, dis-je, sauvé sans queue et tout honteux,
Pour avoir des pareils (comme il était habile),

Un jour que les renards tenaient conseil entre eux :
« Que faisons-nous, dit-il, de ce poids inutile,
Et qui va balayant tous les sentiers fangeux ?

Que nous sert cette queue ? Il faut qu'on se la coupe,
Si l'on me croit, chacun s'y résoudra.
—Votre avis est fort bon, dit quelqu'un de la troupe,
Mais tournez-vous, de grâce, et l'on vous répondra. »

À ces mots il se fit une telle huée
Que le pauvre écourté ne put être entendu.
Prétendre ôter la queue eût été temps perdu ;
La mode en fut continuée.

LE LOUP ET LE CHIEN

Un loup n'avait que les os et la peau,
    Tant les chiens faisaient bonne garde.
Ce loup rencontre un dogue aussi puissant que beau,

    Gras, poli, qui s'était fourvoyé par mégarde.
      L'attaquer, le mettre en quartiers,
      Sire loup l'eût fait volontiers.
    Mais il fallait livrer bataille ;

      Et le mâtin était de taille
      À se défendre hardiment.
    Le loup donc l'aborde humblement,

Entre en propos, et lui fait compliment
    Sur son embonpoint qu'il admire.

    « Il ne tiendra qu'à vous, beau sire.
D'être aussi gras que moi, lui repartit le chien.
    Quittez les bois, vous ferez bien :
    Vos pareils y sont misérables,

    Cancres, hères, et pauvres diables,
Dont la condition est de mourir de faim.
Car quoi ! Rien d'assuré ; point de franche lippée :
    Tout à la pointe de l'épée.
Suivez-moi : vous aurez un bien meilleur destin. »

Le loup reprit : « Que me faudra-t-il faire ?
– Presque rien, dit le chien, donner la chasse aux gens
  Portant bâtons, et mendiants ;
Flatter ceux du logis, à son maître complaire ;

Moyennant quoi votre salaire
Sera force reliefs de toutes les façons :
  Os de poulets, os de pigeons ;
  Sans parler de mainte caresse. »

Le loup déjà se forge une félicité
Qui le fait pleurer de tendresse.

Chemin faisant il vit le cou du chien pelé.
« Qu'est-ce là ? lui dit-il. – Rien. – Quoi rien ? – Peu de chose.
– Mais encor ? – Le collier dont je suis attaché

De ce que vous voyez est peut-être la cause.
– Attaché ? dit le loup ; vous ne courez donc pas
  Où vous voulez ? – Pas toujours, mais qu'importe ?

– Il importe si bien que de tous vos repas
  Je ne veux en aucune sorte,
Et ne voudrais pas même à ce prix un trésor. »
Cela dit, maître loup s'enfuit, et court encor.

LE SAVETIER ET LE FINANCIER

Un savetier chantait du matin jusqu'au soir :
  C'était merveilles de le voir,
Merveilles de l'ouïr ; il faisait des passages,
  Plus content qu'aucun des sept sages.

Son voisin au contraire, étant tout cousu d'or,
  Chantait peu, dormait moins encor.
  C'était un homme de finance.

Si sur le point du jour parfois il sommeillait,
Le savetier alors en chantant l'éveillait,
  Et le financier se plaignait
  Que les soins de la Providence
N'eussent pas au marché fait vendre le dormir
  Comme le manger et le boire.

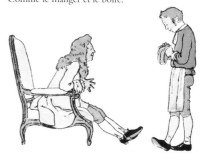

  En son hôtel il fait venir
Le chanteur, et lui dit : «Or çà, sire Grégoire,
Que gagnez-vous par an ? – Par an ? Ma foi, Monsieur,
  Dit avec un ton de rieur

Le gaillard savetier, ce n'est point ma manière
De compter de la sorte, et je n'entasse guère
  Un jour sur l'autre : il suffit qu'à la fin
  J'attrape le bout de l'année.
  Chaque jour amène son pain.

– Eh bien ! que gagnez-vous, dites-moi, par journée ?

– Tantôt plus, tantôt moins : le mal est que toujours
(Et sans cela nos gains seraient assez honnêtes),
Le mal est que dans l'an s'entremêlent des jours
  Qu'il faut chômer : on nous ruine en fêtes.
L'une fait tort à l'autre, et monsieur le curé
De quelque nouveau saint charge toujours son prône. »

Le financier, riant de sa naïveté,
Lui dit : « Je vous veux mettre aujourd'hui sur le trône.

Prenez ces cent écus ; gardez-les avec soin,
  Pour vous en servir au besoin. »

Le savetier crut voir tout l'argent que la terre
  Avait depuis plus de cent ans
  Produit pour l'usage des gens.

Il retourne chez lui ; dans sa cave il enserre
    L'argent et sa joie à la fois.

Plus de chant ; il perdit la voix
Du moment qu'il gagna ce qui cause nos peines.
    Le sommeil quitta son logis,
    Il eut pour hôtes les soucis,
    Les soupçons, les alarmes vaines.

Tout le jour il avait l'œil au guet ; et la nuit,
    Si quelque chat faisait du bruit,
Le chat prenait l'argent. À la fin le pauvre homme

S'en courut chez celui qu'il ne réveillait plus.
« Rendez-moi, lui dit-il, mes chansons et mon somme,
    Et reprenez vos cent écus. »

LE CORBEAU voulant imiter l'Aigle

L'oiseau de Jupiter enlevant un mouton,
   Un corbeau témoin de l'affaire,
Et plus faible de reins, mais non pas moins glouton,
   En voulut sur l'heure autant faire.

Il tourne à l'entour du troupeau,
Marque entre cent moutons le plus gras, le plus beau,
   Un vrai mouton de sacrifice :
On l'avait réservé pour la bouche des dieux.

Gaillard corbeau disait, en le couvrant des yeux :
   « Je ne sais qui fut ta nourrice,
Mais ton corps me paraît en merveilleux état :
   Tu me serviras de pâture. »
Sur l'animal bêlant, à ces mots, il s'abat.

   La moutonnière créature
Pesait plus qu'un fromage ; outre que sa toison
   Était d'une épaisseur extrême,
Et mêlée à peu près de la même façon
   Que la barbe de Polyphème.
Elle empêtra si bien les serres du corbeau

Que le pauvre animal ne put faire retraite ;
Le berger vient, le prend, l'engage bien et beau,

Le donne à ses enfants pour servir d'amusette.
Il faut se mesurer, la conséquence est nette.
Mal prend aux volereaux de faire les voleurs.
   L'exemple est un dangereux leurre :
Tous les mangeurs de gens ne sont pas grands seigneurs ;
Où la guêpe a passé, le moucheron demeure.

LE RENARD ET LE BOUC

Capitaine renard allait de compagnie
Avec son ami bouc des plus haut encornés.
Celui-ci ne voyait pas plus loin que son nez ;
L'autre était passé maître en fait de tromperie.

La soif les obligea de descendre en un puits.
  Là, chacun d'eux se désaltère.
Après qu'abondamment tous deux en eurent pris,

Le renard dit au bouc : « Que ferons-nous, compère ?
Ce n'est pas tout de boire, il faut sortir d'ici.

Lève tes pieds en haut, et tes cornes aussi :
Mets-les contre le mur. Le long de ton échine

Je grimperai premièrement ;
Puis, sur tes cornes m'élevant,
À l'aide de cette machine
De ce lieu-ci je sortirai.
Après quoi je t'en tirerai.
– Par ma barbe, dit l'autre, il est bon ; et je loue
Les gens bien sensés comme toi.
Je n'aurais jamais, quant à moi,
Trouvé ce secret, je l'avoue. »
Le renard sort du puits, laisse son compagnon

Et vous lui fait un beau sermon
Pour l'exhorter à patience.
« Si le Ciel t'eût, dit-il, donné par excellence
Autant de jugement que de barbe au menton,
Tu n'aurais pas à la légère
Descendu dans ce puits. Or adieu, j'en suis hors.
Tâche de t'en tirer, et fais tous tes efforts :
Car, pour moi, j'ai certaine affaire
Qui ne me permet pas d'arrêter en chemin. »
En toute chose il faut considérer la fin.

LA GRENOUILLE ET LE RAT

Tel, comme dit Merlin, cuide engeigner autrui,
    Qui souvent s'engeigne soi-même.
J'ai regret que ce mot soit trop vieux aujourd'hui :
Il m'a toujours semblé d'une énergie extrême.
Mais afin d'en venir au dessein que j'ai pris,
Un rat plein d'embonpoint, gras et des mieux nourris,

Et qui ne connaissait l'Avent ni le Carême,
Sur le bord d'un marais égayait ses esprits.

Une grenouille approche, et lui dit en sa langue :
« Venez me voir chez moi, je vous ferai festin. »
    Messire rat promit soudain :
Il n'était pas besoin de plus longue harangue.

Elle allégua pourtant les délices du bain,
La curiosité, le plaisir du voyage,
Cent raretés à voir le long du marécage :
Un jour il conterait à ses petits-enfants
Les beautés de ces lieux, les mœurs des habitants,
Et le gouvernement de la chose publique
        Aquatique.

Un point sans plus tenait le galant empêché :
Il nageait quelque peu ; mais il fallait de l'aide.
La grenouille à cela trouve un très bon remède :
Le rat fut à son pied par la patte attaché ;
    Un brinc de jonc en fit l'affaire.

Dans le marais entrés, notre bonne commère
S'efforce de tirer son hôte au fond de l'eau,
Contre le droit des gens, contre la foi jurée ;
Prétend qu'elle en fera gorge chaude et curée ;

(C'était à son avis un excellent morceau.)
Déjà dans son esprit la galande le croque.
Il atteste les dieux ; la perfide s'en moque.
Il résiste ; elle tire. En ce combat nouveau,

Un milan qui dans l'air planait, faisait la ronde,
Voit d'en haut le pauvret se débattant sur l'onde.
Il fond dessus, l'enlève, et, par même moyen,

La grenouille et le lien.
Tout en fut ; tant et si bien
Que de cette double proie
L'oiseau se donne au cœur joie,
Ayant de cette façon
À souper chair et poisson.

LA LAITIERE ET LE POT AU LAIT

Perrette, sur sa tête ayant un pot au lait
Bien posé sur un coussinet,
Prétendait arriver sans encombre à la ville.

Légère et court vêtue, elle allait à grands pas,
Ayant mis ce jour-là pour être plus agile
Cotillon simple et souliers plats.
Notre laitière ainsi troussée

Comptait déjà dans sa pensée
Tout le prix de son lait, en employait l'argent,
Achetait un cent d'œufs, faisait triple couvée ;

La chose allait à bien par son soin diligent.
« Il m'est, disait-elle, facile
D'élever des poulets autour de ma maison :

Le renard sera bien habile,
S'il ne m'en laisse assez pour avoir un cochon.
Le porc à s'engraisser coûtera peu de son ;

Il était, quand je l'eus, de grosseur raisonnable ;
J'aurai, le revendant, de l'argent bel et bon.

Et qui m'empêchera de mettre en notre étable,
Vu le prix dont il est, une vache et son veau,
Que je verrai sauter au milieu du troupeau ? »

Perrette là-dessus saute aussi, transportée.
Le lait tombe : adieu veau, vache, cochon, couvée.

La dame de ces biens, quittant d'un œil marri
   Sa fortune ainsi répandue,

Va s'excuser à son mari,
En grand danger d'être battue.
Le récit en farce en fut fait :
On l'appela le Pot au lait.

LE RENARD ET LA CIGOGNE

Compère le renard se mit un jour en frais,
Et retint à dîner commère la cigogne.

Le régal fut petit, et sans beaucoup d'apprêts ;
   Le galant pour toute besogne
Avait un brouet clair (il vivait chichement).

Ce brouet fut par lui servi sur une assiette :

La cigogne au long bec n'en put attraper miette ;

Et le drôle eut lapé le tout en un moment.

Pour se venger de cette tromperie,

À quelque temps de là, la cigogne le prie.
« Volontiers, lui dit-il, car avec mes amis
   Je ne fais point cérémonie. »

À l'heure dite il courut au logis
  De la cigogne son hôtesse,
  Loua très fort sa politesse,
  Trouva le dîner cuit à point.

Bon appétit surtout ; renards n'en manquent point.
Il se réjouissait à l'odeur de la viande
Mise en menus morceaux et qu'il croyait friande.
   On servit, pour l'embarrasser,
En un vase à long col, et d'étroite embouchure.

Le bec de la cigogne y pouvait bien passer,
Mais le museau du sire était d'autre mesure.

Il lui fallut à jeun retourner au logis,
  Honteux comme un renard qu'une poule aurait pris,
   Serrant la queue, et portant bas l'oreille.

Trompeurs, c'est pour vous que j'écris,
Attendez-vous à la pareille.

UN FOU ET UN SAGE

Certain fou poursuivait à coups de pierre un sage.

Le sage se retourne, et lui dit : « Mon ami,
C'est fort bien fait à toi ; reçois cet écu-ci :
Tu fatigues assez pour gagner davantage.
Toute peine, dit-on, est digne de loyer.

Vois cet homme qui passe ; il a de quoi payer :
Adresse-lui tes dons, ils auront leur salaire. »

Amorcé par le gain, notre fou s'en va faire
Même insulte à l'autre bourgeois.

On ne le paya pas en argent cette fois.
Maint estafier accourt : on vous happe notre homme,
On vous l'échine, on vous l'assomme.

LE LION ET LE RAT

Il faut autant qu'on peut obliger tout le monde :
On a souvent besoin d'un plus petit que soi.
De cette vérité deux fables feront foi,
    Tant la chose en preuves abonde.

Entre les pattes d'un lion
Un rat sortit de terre assez à l'étourdie.

Le roi des animaux, en cette occasion,
Montra ce qu'il était, et lui donna la vie.
    Ce bienfait ne fut pas perdu.
    Quelqu'un aurait-il jamais cru
    Qu'un lion d'un rat eût affaire ?

Cependant il advint qu'au sortir des forêts
    Ce lion fut pris dans des rets
Dont ses rugissements ne le purent défaire.
Sire rat accourut, et fit tant par ses dents
Qu'une maille rongée emporta tout l'ouvrage.

Patience et longueur de temps
Font plus que force ni que rage.

LA COLOMBE ET LA FOURMI

L'autre exemple est tiré d'animaux plus petits.
Le long d'un clair ruisseau buvait une colombe,

Quand sur l'eau se penchant une fourmi y tombe ;
Et dans cet océan on eût vu la fourmi
S'efforcer, mais en vain, de regagner la rive.

La colombe aussitôt usa de charité :
Un brin d'herbe dans l'eau par elle étant jeté,

Ce fut un promontoire où la fourmi arrive.
Elle se sauve ; et là-dessus

Passe un certain croquant qui marchait les pieds nus.
Ce croquant par hasard avait une arbalète.

Dès qu'il voit l'oiseau de Vénus,
Il le croit en son pot, et déjà lui fait fête.
Tandis qu'à le tuer mon villageois s'apprête,

La fourmi le pique au talon.

Le vilain retourne la tête.
La colombe l'entend, part, et tire de long.
Le souper du croquant avec elle s'envole :
Point de pigeon pour une obole.

LE POT DE TERRE ET LE POT DE FER

    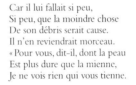

Le pot de fer proposa
Au pot de terre un voyage.

Celui-ci s'en excusa,
Disant qu'il ferait que sage
De garder le coin du feu :

Car il lui fallait si peu,
Si peu, que la moindre chose
De son débris serait cause.
Il n'en reviendrait morceau.
« Pour vous, dit-il, dont la peau
Est plus dure que la mienne,
Je ne vois rien qui vous tienne.

– Nous vous mettrons à couvert,
Repartit le pot de fer.
Si quelque matière dure
Vous menace d'aventure,
Entre deux je passerai,
Et du coup vous sauverai. »

Cette offre le persuade.
Pot de fer son camarade
Se met droit à ses côtés.
Mes gens s'en vont à trois pieds,

Clopin clopant, comme ils peuvent,
L'un contre l'autre jetés,
Au moindre hoquet qu'ils treuvent.
Le pot de terre en souffre : il n'eut pas fait cent pas,

Que par son compagnon il fut mis en éclats,
Sans qu'il eût lieu de se plaindre.
Ne nous associons qu'avecque nos égaux,
Ou bien il nous faudra craindre
Le destin d'un de ces pots.

BM

L'OURS ET LES DEUX COMPAGNONS

Deux compagnons pressés d'argent
À leur voisin fourreur vendirent
La peau d'un ours encor vivant,
Mais qu'ils tueraient bientôt, du moins à ce qu'ils dirent.

C'était le roi des ours au compte de ces gens.
Le marchand à sa peau devrait faire fortune.
Elle garantirait des froids les plus cuisants.
On en pourrait fourrer plutôt deux robes qu'une.
Dindenaut prisait moins ses moutons qu'eux leur ours :

Leur, à leur compte, et non à celui de la bête.
S'offrant de la livrer au plus tard dans deux jours,

Ils conviennent de prix, et se mettent en quête,

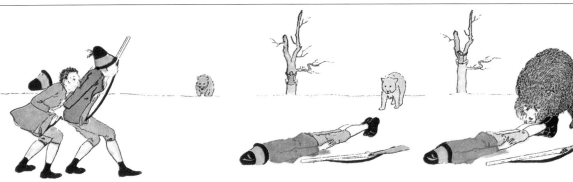

Trouvent l'ours qui s'avance, et vient vers eux au trot.
Voilà mes gens frappés comme d'un coup de foudre.
Le marché ne tint pas ; il fallut le résoudre :
D'intérêts contre l'ours, on n'en dit pas un mot.
L'un des deux compagnons grimpe au faîte d'un arbre ;

    L'autre, plus froid que n'est un marbre,
Se couche sur le nez, fait le mort, tient son vent,
    Ayant quelque part ouï dire
    Que l'ours s'acharne peu souvent
Sur un corps qui ne vit, ne meut, ni ne respire.

Seigneur ours, comme un sot, donna dans ce panneau.
Il voit ce corps gisant, le croit privé de vie,
    Et de peur de supercherie
Le tourne, le retourne, approche son museau,
    Flaire aux passages de l'haleine.

« C'est, dit-il, un cadavre ; ôtons-nous, car il sent. »
À ces mots, l'ours s'en va dans la forêt prochaine.

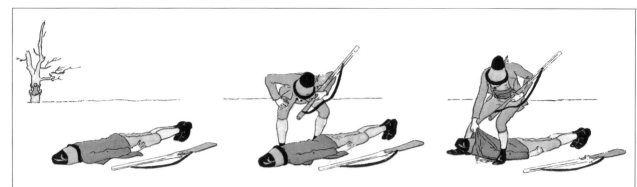

L'un de nos deux marchands de son arbre descend,

Court à son compagnon, lui dit que c'est merveille

Qu'il n'ait eu seulement que la peur pour tout mal.

« Eh bien ! ajouta-t-il, la peau de l'animal ?
   Mais que t'a-t-il dit à l'oreille ?
   Car il s'approchait de bien près,
   Te retournant avec sa serre.
   — Il m'a dit qu'il ne faut jamais
Vendre la peau de l'ours qu'on ne l'ait mis par terre. »

LE LOUP ET L'AGNEAU

La raison du plus fort est toujours la meilleure,
  Nous l'allons montrer tout à l'heure.

Un agneau se désaltérait
Dans le courant d'une onde pure.

Un loup survient à jeun qui cherchait aventure,
Et que la faim en ces lieux attirait.

« Qui te rend si hardi de troubler mon breuvage ?
  Dit cet animal plein de rage :
Tu seras châtié de ta témérité.

— Sire, répond l'agneau, que Votre Majesté
  Ne se mette pas en colère ;
  Mais plutôt qu'elle considère
  Que je me vas désaltérant
    Dans le courant,

Plus de vingt pas au-dessous d'Elle,
Et que par conséquent en aucune façon
  Je ne puis troubler sa boisson.

— Tu la troubles, reprit cette bête cruelle,
Et je sais que de moi tu médis l'an passé.
— Comment l'aurais-je fait, si je n'étais pas né ?
  Reprit l'agneau, je tette encor ma mère.

– Si ce n'est toi, c'est donc ton frère.
– Je n'en ai point. – C'est donc quelqu'un des tiens :

Car vous ne m'épargnez guère,
Vous, vos bergers et vos chiens.
On me l'a dit : il faut que je me venge. »

Là-dessus au fond des forêts
Le loup l'emporte, et puis le mange
Sans autre forme de procès.

L'HUITRE ET LES PLAIDEURS

Un jour deux pèlerins sur le sable rencontrent
Une huître que le flot y venait d'apporter :

Ils l'avalent des yeux, du doigt ils se la montrent ;
À l'égard de la dent, il fallut contester.
L'un se baissait déjà pour amasser la proie ;

L'autre le pousse, et dit : « Il est bon de savoir
    Qui de nous en aura la joie.
Celui qui le premier a pu l'apercevoir

En sera le gobeur ; l'autre le verra faire.
    – Si par là l'on juge l'affaire,
Reprit son compagnon, j'ai l'œil bon, Dieu merci.

    – Je ne l'ai pas mauvais aussi,
Dit l'autre, et je l'ai vue avant vous, sur ma vie.
    – Eh bien ! vous l'avez vue, et moi je l'ai sentie. »

Pendant tout ce bel incident,
Perrin Dandin arrive : ils le prennent pour juge.

Perrin fort gravement ouvre l'huître, et la gruge,
Nos deux messieurs le regardant.

Ce repas fait, il dit d'un ton de président :
« Tenez, la cour vous donne à chacun une écaille,
Sans dépens, et qu'en paix chacun chez soi s'en aille. »

LE CHAT LA BELETTE ET LE PETIT LAPIN

Du palais d'un jeune lapin
Dame belette un beau matin
S'empara : c'est une rusée.
Le maître étant absent, ce lui fut chose aisée.
Elle porta chez lui ses pénates un jour

Qu'il était allé faire à l'Aurore sa cour
Parmi le thym et la rosée.
Après qu'il eut brouté, trotté, fait tous ses tours,

Janot Lapin retourne aux souterrains séjours.
La belette avait mis le nez à la fenêtre.
« Ô dieux hospitaliers, que vois-je ici paraître ?
Dit l'animal chassé du paternel logis.

Ô là ! Madame la belette,
Que l'on déloge sans trompette,
Ou je vais avertir tous les rats du pays. »

La dame au nez pointu répondit que la terre
  Était au premier occupant.
  C'était un beau sujet de guerre
Qu'un logis où lui-même il n'entrait qu'en rampant !

« Et quand ce serait un royaume,
Je voudrais bien savoir, dit-elle, quelle loi
  En a pour toujours fait l'octroi
À Jean, fils ou neveu de Pierre ou de Guillaume,
  Plutôt qu'à Paul, plutôt qu'à moi. »

BM.

Jean Lapin allégua la coutume et l'usage.
« Ce sont, dit-il, leurs lois qui m'ont de ce logis
Rendu maître et seigneur, et qui, de père en fils,
L'ont de Pierre à Simon, puis à moi Jean transmis.
Le premier occupant, est-ce une loi plus sage ?

– Or bien, sans crier davantage,
Rapportons-nous, dit-elle, à Raminagrobis. »

C'était un chat vivant comme un dévot ermite,
  Un chat faisant la chattemite,
Un saint homme de chat, bien fourré, gros et gras,
  Arbitre expert sur tous les cas.
  Jean Lapin pour juge l'agrée.

Les voilà tous deux arrivés
  Devant sa majesté fourrée.
Grippeminaud leur dit : « Mes enfants, approchez,
Approchez ; je suis sourd ; les ans en sont la cause. »
L'un et l'autre approcha, ne craignant nulle chose.

Aussitôt qu'à portée il vit les contestants,
  Grippeminaud le bon apôtre,
Jetant des deux côtés la griffe en même temps,
Mit les plaideurs d'accord en croquant l'un et l'autre.

Ceci ressemble fort aux débats qu'ont parfois
Les petits souverains se rapportant aux rois.

LE LOUP ET LA CICOGNE

Les loups mangent gloutonnement.
Un loup donc, étant de frairie,
Se pressa, dit-on, tellement
Qu'il en pensa perdre la vie.
Un os lui demeura bien avant au gosier.

De bonheur pour ce loup, qui ne pouvait crier,
Près de là passe une cigogne.
Il lui fait signe, elle accourt.

Voici l'opératrice aussitôt en besogne.

  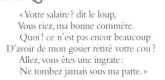

Elle retira l'os ; puis pour un si bon tour

Elle demanda son salaire.

« Votre salaire ? dit le loup,
Vous riez, ma bonne commère.
Quoi ! ce n'est pas encor beaucoup
D'avoir de mon gosier retiré votre cou ?
Allez, vous êtes une ingrate :
Ne tombez jamais sous ma patte. »

LE RAT ET L'HUITRE

Un rat hôte d'un champ, rat de peu de cervelle,
Des lares paternels un jour se trouva soûl.
Il laisse là le champ, le grain, et la javelle,
Va courir le pays, abandonne son trou.
    Sitôt qu'il fut hors de la case :

« Que le monde, dit-il, est grand et spacieux !
Voilà les Apennins, et voici le Caucase ! »
La moindre taupinée était mont à ses yeux.
Au bout de quelques jours le voyageur arrive
En un certain canton où Téthys sur la rive
Avait laissé mainte huître ; et notre rat d'abord

Crut voir en les voyant des vaisseaux de haut bord.
« Certes, dit-il, mon père était un pauvre sire ;
Il n'osait voyager, craintif au dernier point :
Pour moi, j'ai déjà vu le maritime empire ;
J'ai passé les déserts, mais nous n'y bûmes point. »
D'un certain magister le rat tenait ces choses,
    Et les disait à travers champs,
N'étant pas de ces rats qui les livres rongeants
Se font savants jusques aux dents.

    Parmi tant d'huîtres toutes closes
Une s'était ouverte, et bâillant au soleil,
    Par un doux zéphyr réjouie,
Humait l'air, respirait, était épanouie,
Blanche, grasse, et d'un goût, à la voir, non pareil.
D'aussi loin que le rat voit cette huître qui bâille :
« Qu'aperçois-je ? dit-il, c'est quelque victuaille ;

Et, si je ne me trompe à la couleur du mets,
Je dois faire aujourd'hui bonne chère, ou jamais. »
Là-dessus maître rat, plein de belle espérance,
Approche de l'écaille, allonge un peu le cou,

Se sent pris comme aux lacs : car l'huître tout d'un coup
Se referme, et voilà ce que fait l'ignorance.